VAUGHAN PUBLIC LIBRARIES CCRL
3 3288 50147203 1

S0-AEL-136

# Éloi
## et le
# cheval de joie

Roxane Turcotte • Maxime Lacourse

Éditrice : Angèle Delaunois
Édition électronique : Hélène Meunier
Éditrice adjointe : Lucile de Pesloüan
Correction : Aline Noguès



Dépôt légal : 1er trimestre 2017

Catalogage avant publication de Bibliothèque et Archives nationales du Québec et Bibliothèque et Archives Canada

Turcotte, Roxane, 1952-

Éloi et le cheval de joie

(Tourne-pierre ; 51)
Poèmes.
Pour les jeunes.

ISBN Papier : 978-2-924309-94-0
ISBN PDF : 978-2-924309-95-7

I. Lacourse, Maxime. II. Titre. III. Collection : Tourne-pierre ; 51.

PS8639.U726E46 2017 jC841'.6 C2017-940104-1
PS9639.U726E46 2017



Nous remercions le Conseil des arts du Canada de l'aide accordée à notre programme de publication et la SODEC pour son appui financier en vertu du Programme d'aide aux entreprises du livre et de l'édition spécialisée et du programme de crédit d'impôt pour l'édition de livres.

Canada

SODEC Québec

ÉDITIONS DE L'ISATIS
4829, avenue Victoria
Montréal – QC - H3W 2M9
www.editionsdelisatis.com
Imprimé au Canada

Fiche d'activités pédagogiques disponible sur notre site www.editionsdelisatis.com à la page du livre

À Maxime

Sans ton art,
*Le cheval de joie* n'existerait pas.

R.T.

Je ne peux que m'incliner
devant la beauté de l'art.

M.L.

Je porte un chapeau
pour garder mon rêve au chaud.
Mon rêve, c'est de galoper sur le dos
de mon cheval-roi couronné de soie,
aux yeux de velours baignés d'amour.

Le cheval-roi partage lui aussi mon rêve.
Léger sur son dos,
je lui souffle l'aventure :
« Compagnon, allons répandre la joie
là où il n'y en a pas… »

... Pour Kamil, aveuglé par la poussière
laissée sur sa ville en guerre,
nous sèmerons la paix dans un champ doré
où il pourra courir sans ses souliers.

Pour Aron,
nous fabriquerons
des vêtements chauds d'humanité
pour qu'il cesse de grelotter.

Et pour Manuela qui habite
dans la pluie des saisons,
inventons une maison
cachée dans les nuages
pour qu'elle apprivoise l'orage.

Pour déjouer les jours sombres,
où Jérémie se sent tout petit,
glissons du soleil dans son logis
afin qu'il retrouve la douce musique
de la confiance en lui.

Pour faire taire les gargouillis
dans l'estomac jamais rempli
de Joram, Bahia et Mahdi
qui malgré la faim nous sourient,
allons dresser mille tables garnies.

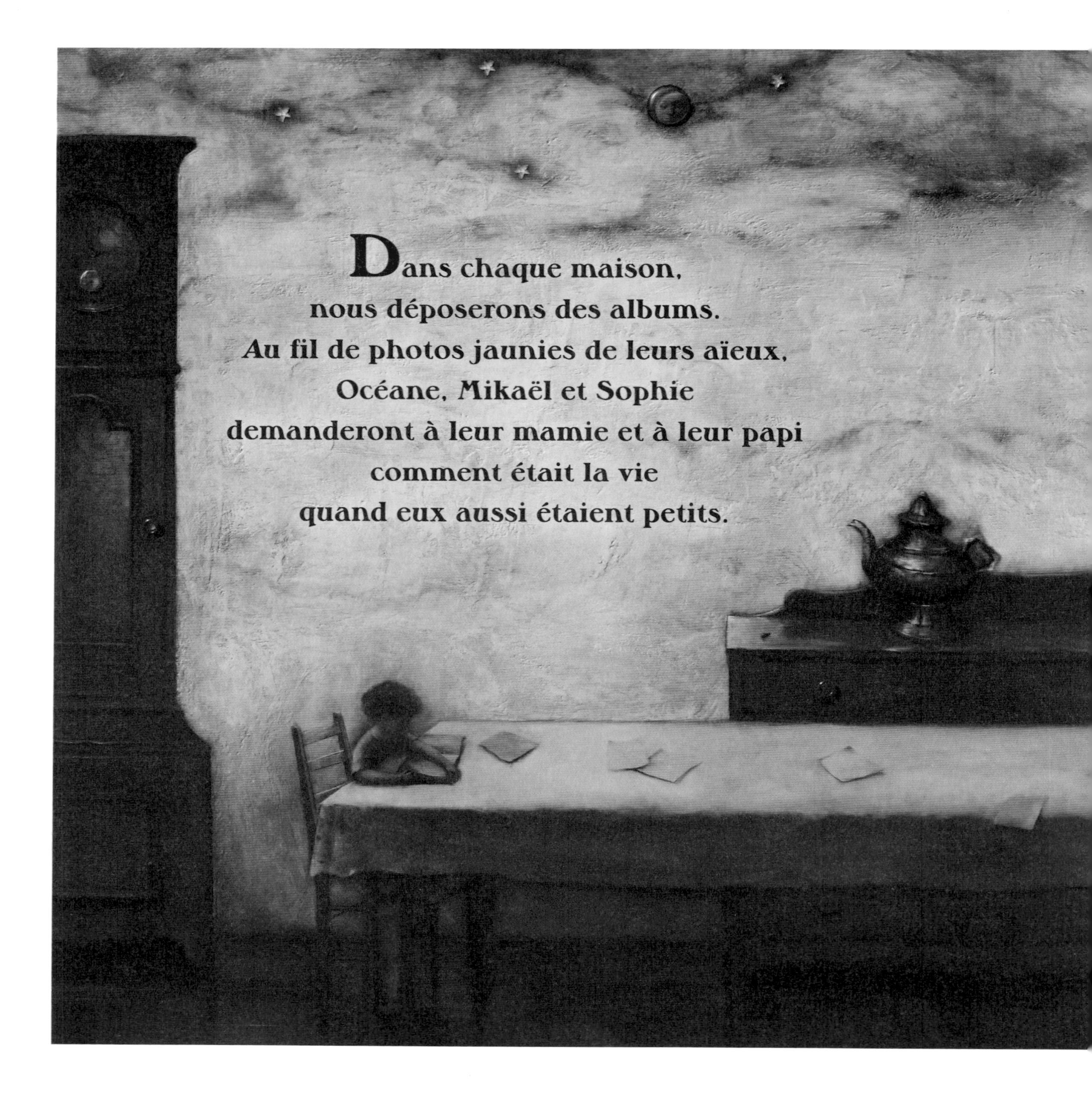

Dans chaque maison,
nous déposerons des albums.
Au fil de photos jaunies de leurs aïeux,
Océane, Mikaël et Sophie
demanderont à leur mamie et à leur papi
comment était la vie
quand eux aussi étaient petits.

F

Pour faire un pied de nez
à la solitude et à l'abandon,
nous sèmerons partout la fête
en distribuant des cerfs-volants,
et en cachant des invitations
dans des bouquets de ballons
que nous enverrons en mission.

Nos avions de papier conduiront
Antonia vers Thomas,
guideront la main d'Amir
vers l'épaule de Gauthier.
Ils joueront bien entourés
à la table de l'amitié.

Paraíso des

Nous nommerons l'oiseau marin
capitaine de notre barque de papier.
Il traversera la mer jusqu'au désert
pour apprendre à Dahir et Amina
à faire jaillir l'eau à laquelle
s'abreuveront les fleurs.

Pour Maély qui voit les soucis se glisser
dans le cœur de ses parents chiffonnés,
pour Camille en visite chez le docteur
plus souvent qu'à son heure...
nous apparaîtrons, nous, les grands magiciens,
partout où la vie se complique et pique
pour dénouer les jours difficiles
en un tournemain
au grand tableau des mélis-mélos.

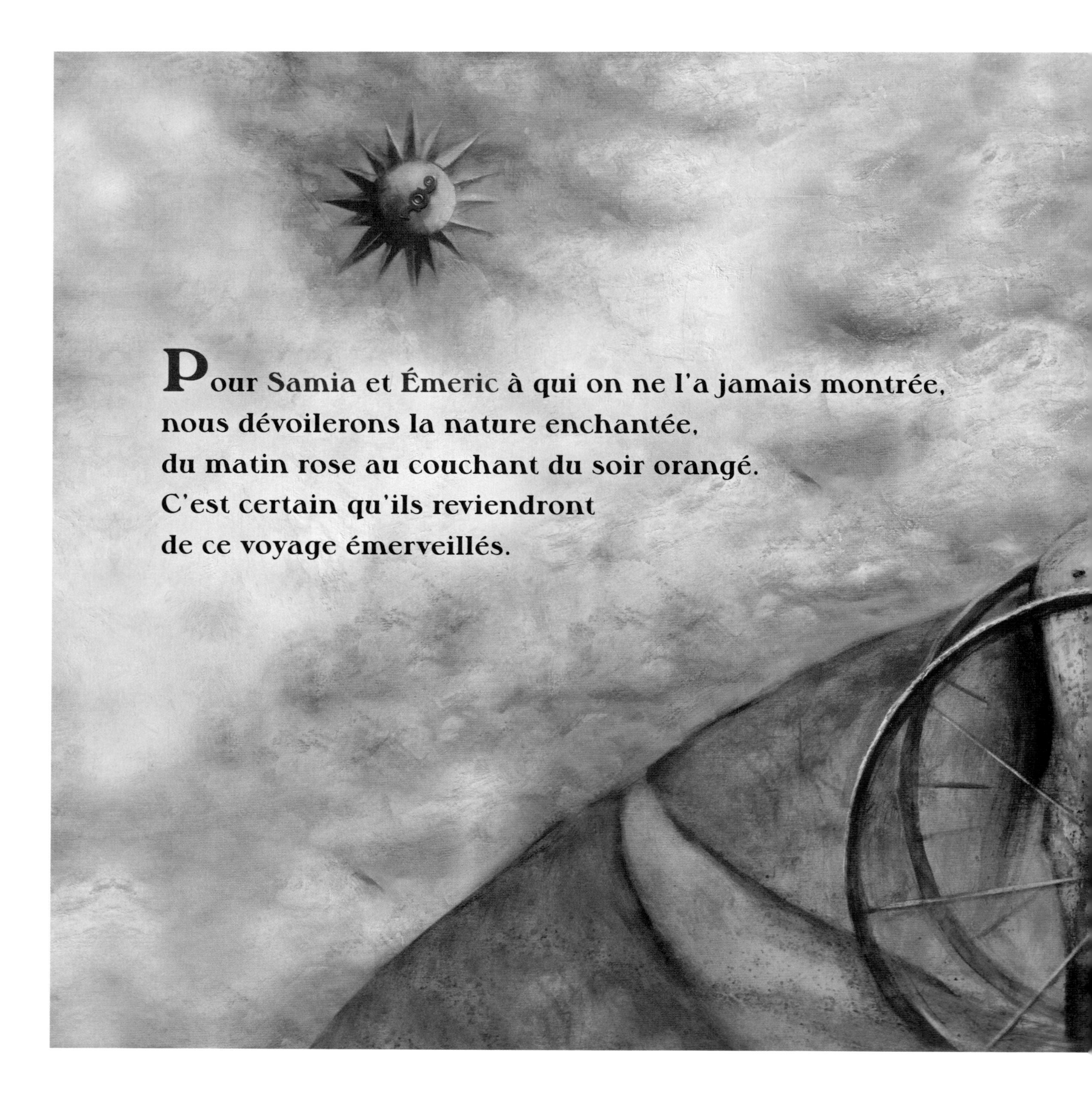

Pour Samia et Émeric à qui on ne l'a jamais montrée,
nous dévoilerons la nature enchantée,
du matin rose au couchant du soir orangé.
C'est certain qu'ils reviendront
de ce voyage émerveillés.

**De retour sous ton carrousel,**
**comblé de félicité d'avoir partagé mon rêve,**
**tu pourras raconter à tes amis fidèles**
**combien grandiose était notre aventure.**

Moi, sous mon chapeau,
j'essaierai de devenir un homme.
J'irai poser ma première pierre
d'un monde de joie sans œillères.
Ce jour-là, je dirai à l'univers
combien mon cœur est fier.